MathStart®
洛克数学启蒙 ❸

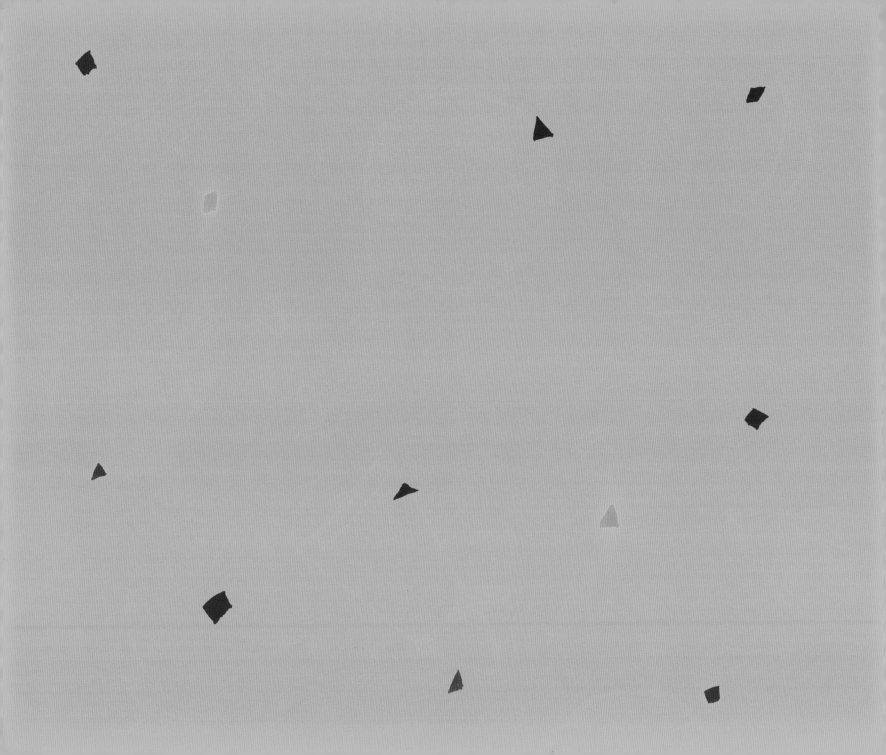

洛克数学启蒙 ❸

跳跳猴的游行

[美]斯图尔特·J.墨菲 文　　[美]琳恩·克拉瓦斯 图

吕竞男 译

按群计数

海峡出版发行集团
THE STRAITS PUBLISHING & DISTRIBUTING GROUP | 福建少年儿童出版社
FUJIAN CHILDREN'S PUBLISHING HOUSE

纪念S. L. T. 和所有参加7月4日游行的小可爱们。

——斯图尔特·J.墨菲

献给我心爱的小猴子杰夫。

——琳恩·克拉瓦斯

SPUNKY MONKEYS ON PARADE

Text Copyright © 1999 by Stuart J. Murphy

Illustration Copyright © 1999 by Lynne Cravath

Published by arrangement with HarperCollins Children's Books, a division of HarperCollins Publishers through Bardon-Chinese Media Agency

Simplified Chinese translation copyright © 2023 by Look Book (Beijing) Cultural Development Co., Ltd.

ALL RIGHTS RESERVED

著作权合同登记号：图字 13-2023-038号

图书在版编目（CIP）数据

洛克数学启蒙. 3. 跳跳猴的游行 / (美) 斯图尔特·J.墨菲文；(美) 琳恩·克拉瓦斯图；吕竞男译. --福州：福建少年儿童出版社, 2023.9
ISBN 978-7-5395-8234-4

Ⅰ. ①洛… Ⅱ. ①斯… ②琳… ③吕… Ⅲ. ①数学-儿童读物 Ⅳ. ①O1-49

中国国家版本馆CIP数据核字(2023)第074351号

LUOKE SHUXUE QIMENG 3 · TIAOTIAOHOU DE YOUXING
洛克数学启蒙3·跳跳猴的游行

著　者：[美]斯图尔特·J.墨菲　文　[美]琳恩·克拉瓦斯　图　吕竞男　译
出 版 人：陈远　出版发行：福建少年儿童出版社　http://www.fjcp.com　e-mail:fcph@fjcp.com　社址：福州市东水路 76 号 17 层（邮编：350001）
选题策划：洛克博克　责任编辑：曾亚真　助理编辑：赵芷晴　特约编辑：刘丹亭　美术设计：翠翠　电话：010-53606116（发行部）　印刷：北京利丰雅高长城印刷有限公司
开　本：889 毫米 ×1092 毫米　1/16　印张：2.5　版次：2023 年 9 月第 1 版　印次：2023 年 9 月第 1 次印刷　ISBN 978-7-5395-8234-4　定价：24.80 元

今天是猴子王国举办盛大游行的日子。
总领队昂首阔步地走在前面。

军乐队指挥紧随其后，
她高高挥舞着指挥棒。

接着是猴子自行车队，
车轮骨碌碌地转个不停！

你看他们两个一排，
翘起前轮平稳前行。

一共有……

2   4   6   8   10

12   14   16   18   20

20只猴子骑车经过。

接着走来的是猴子杂技队，
他们一路不停地翻着跟头。

他们 3 个一组，技艺高超，
赢得观众喝彩拍手。

17

一共有……

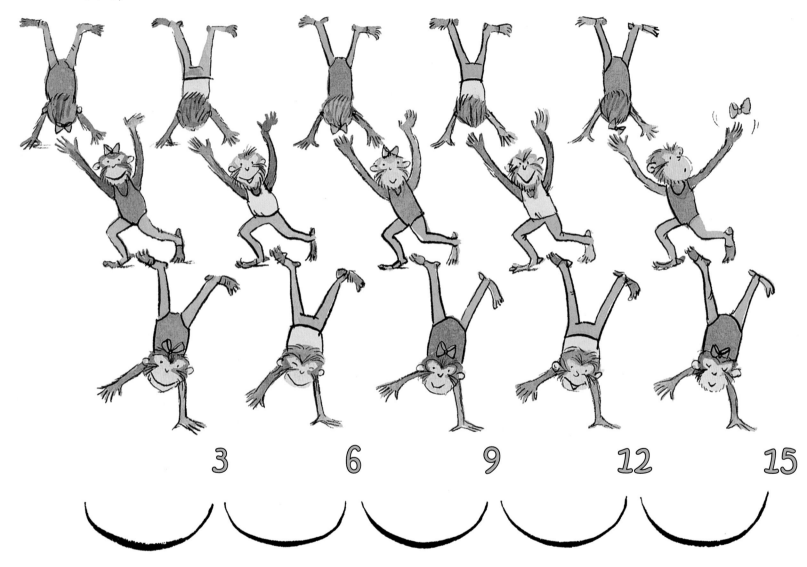

3   6   9   12   15

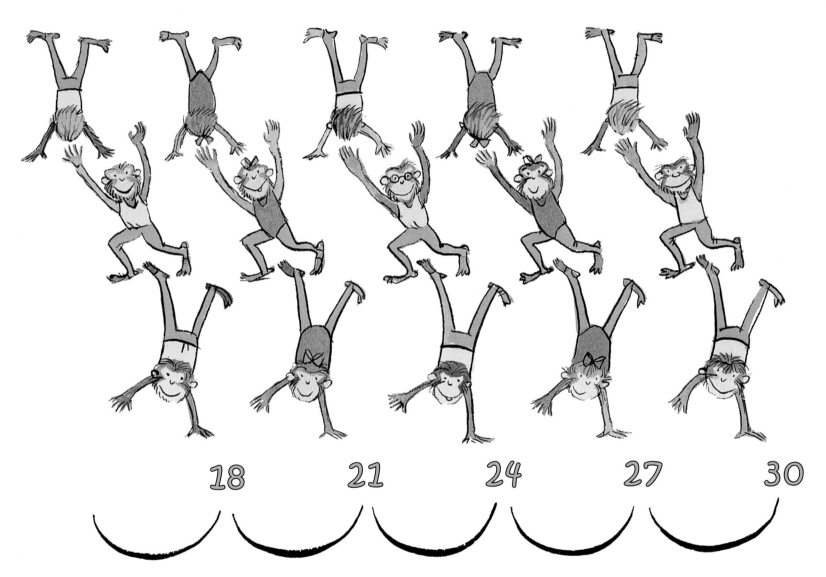

18   21   24   27   30

30只猴子翻着跟头经过。

猴子管乐队走了过来，
乐队成员一个个迈开大步。

他们 4 个一排，
"咚咚哒哒，咚咚哒哒"，敲响大鼓和小鼓。

一共有……

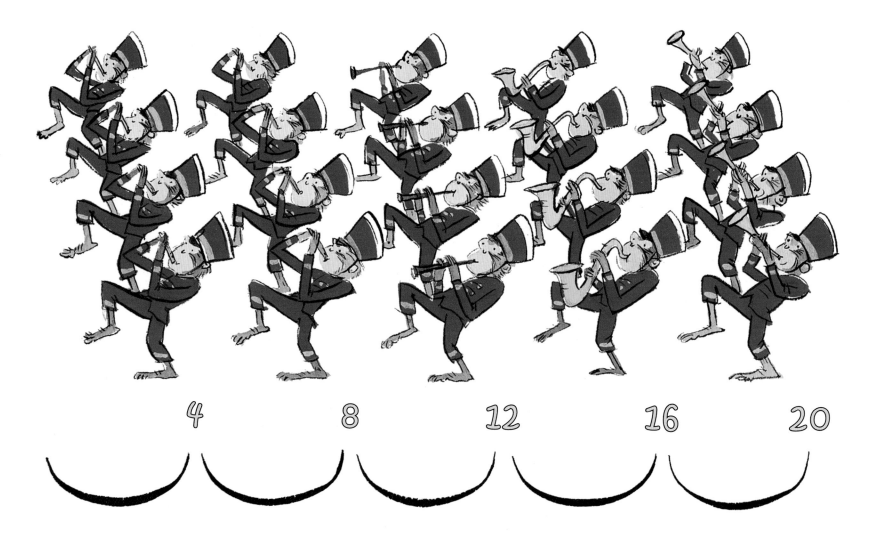

4   8   12   16   20

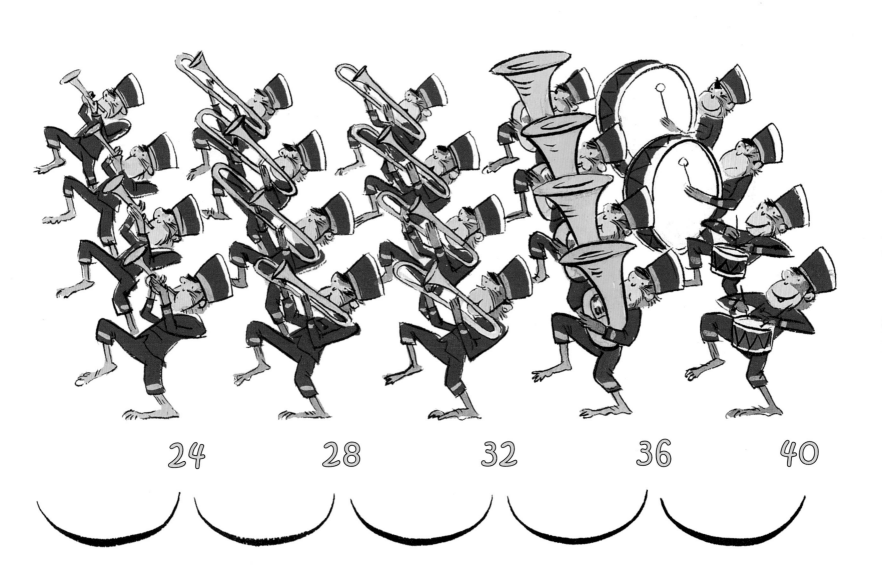

24   28   32   36   40

40 只猴子演奏着乐器经过。

猴子花车终于亮相。
欢呼声越来越响！

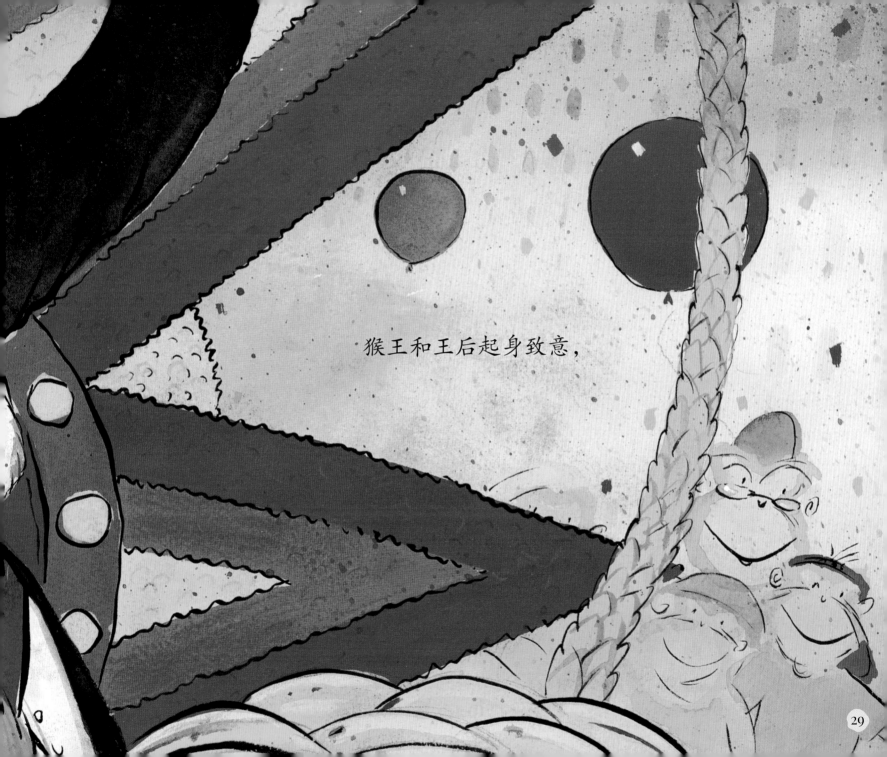

猴王和王后起身致意，

将香蕉撒向猴群。

写给家长和孩子

　　《跳跳猴的游行》中所涉及的数学概念是按群计数，也就是以 2 个、3 个或 4 个为一组进行数数。以大于 1 的间隔进行数数是掌握乘法技能的第一步。

　　对于《跳跳猴的游行》中所呈现的数学概念，如果你们想从中获得更多乐趣，有以下几条建议：

　　1. 和孩子一起阅读故事，并讨论画面中的内容。鼓励孩子与画面互动，在你读故事的时候大声数出猴子的个数。

　　2. 和孩子一起再次阅读故事，让孩子先以 2 个、3 个或 4 个为一组的方式数猴子，再一个一个地数，看看总数是否相同。

　　3. 问问孩子，猴子自行车队是否可以排成 3 个一排或 4 个一排？重新排列之后每一排的数量是否相等？然后试着用相同的方式给杂技队和管乐队重新排列。

　　4. 教孩子利用计算器按 2 个、3 个或 4 个为一组的计数。大多数计算器具备这样的功能：输入 "0 + 2 = = = = =……"，就是以 2 为一组来计数。引导孩子数清，以 2 为一组计数需要按多少次才能数到 36？以 3 或以 4 为一组计数又需要按多少次才能数到 36 呢？

如果你想将本书中的数学概念扩展到孩子的日常生活中，可以参考以下这些游戏活动：

1. 超市购物：去超市的时候，帮助孩子寻找以 2 个、3 个或 4 个为一组进行包装的物品，如灯泡、纸巾、人造奶油或黄油。使用按群计数的方式，数清货架上的物品总数。

2. 家中寻宝：寻找家中以 2 个、3 个或 4 个为一组的物品，如鞋子、手套、成套的餐具、桌子腿或椅子腿。问问孩子："餐厅里共有多少条椅子腿？""桌子上共有多少件餐具？"

3. 连珠成串：准备 2 种不同颜色的珠子（例如红色和黄色）和 3 根绳。让孩子用第 1 根绳穿 2 颗红珠，1 颗黄珠，2 颗红珠，以此类推。用第 2 根绳穿 3 颗红珠，1 颗黄珠，3 颗红珠，以此类推。用第 3 根绳穿 4 颗红珠，1 颗黄珠，4 颗红珠，以此类推。比较这 3 根绳，看看哪一根绳子上穿的红珠更多。

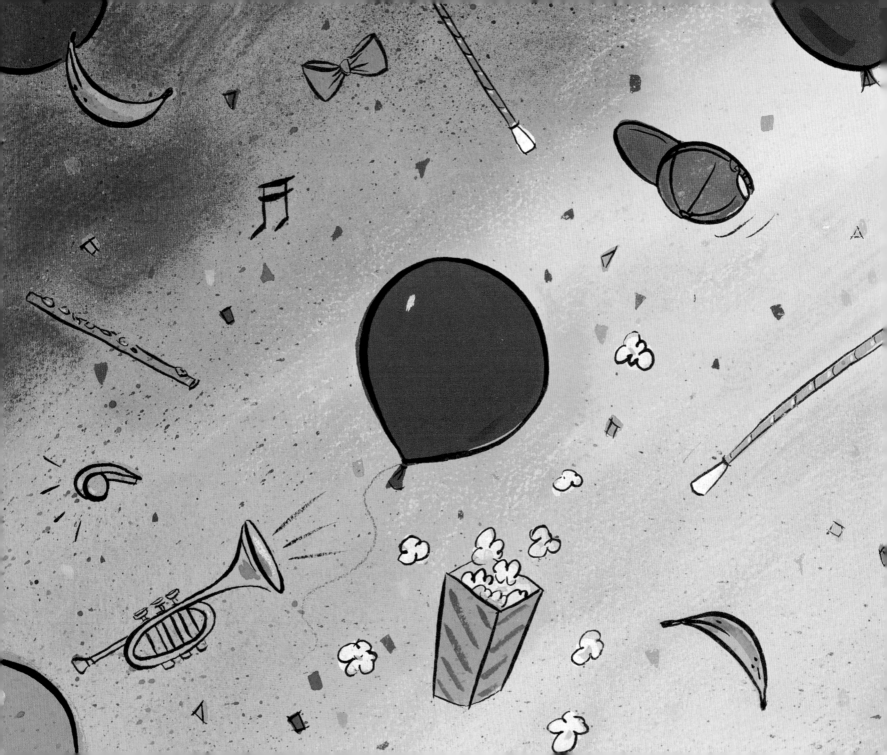

洛克数学启蒙